저자 소개

황수미
웹,앱,서버 개발
강사교육
초,중,고 4차산업, AI/SW 교육
중,고 진로진학 강사로 활동중
인공지능 플랫폼 활용의 모든것 저자

오은영
컴퓨터과 전공
유,초,중,고,성인 4차산업,
AI/SW,진로 교육
디지털 문해력교육 강사로 활동중
인공지능 플랫폼 활용의 모든것 저자

이주원
초,중,고 ,성인 4차산업, 환경, 경제, 진로,SW.AI 교육
SSAFY스타트캠프
송파 인물도서관 인물도서
서울시학교밖청소년센터 전문멘토 활동중

들어가는 말

안녕하세요, 독자 여러분!

저희는 P5.js로 책을 쓰게 된 것을 매우 기쁘게 생각합니다.
이 책은 프로그래밍 경험이 전혀 없는 초보자부터 기본적인 개념을 다진 후 더 나아가고 싶은 경험자까지 누구나 쉽게 P5.js를 배우고 활용할 수 있도록 구성되었습니다.

P5.js는 자바스크립트 기반의 오픈 소스 라이브러리로, 웹 브라우저에서 다양한 인터랙티브 그래픽과 애니메이션을 손쉽게 만들 수 있도록 지원합니다.
예술, 디자인, 교육 분야뿐만 아니라 과학, 기술, 공학, 수학(STEM) 분야에서도 활용되고 있어 창의적인 표현과 문제 해결 능력을 키우는 데 매우 유용한 도구입니다.

이 책에서는 P5.js의 기본적인 구조와 개념부터 다양한 도형 그리기, 애니메이션 만들기, 사용자 상호 작용 구현, 사운드 및 영상 활용 방법까지 단계별로 학습할 수 있도록 구성했습니다.

또한, 각 단계마다 실제 예제와 연습 문제를 통해 직접 코드를 작성하고 실행하며 P5.js를 익힐 수 있도록 돕습니다.

저희는 이 책을 통해 독자 여러분이 P5.js를 쉽고 재미있게 배우고, 창의적인 작품을 만들 수 있도록 최대한 노력했습니다.

또한, P5.js를 통해 프로그래밍의 기초를 탄탄하게 다지고, 다양한 분야에서 활용할 수 있는 문제 해결 능력과 논리적 사고력을 키울 수 있기를 바랍니다.

1장. P5.js 기초

1-1. P5.js란?

자바스크립트 기반의 오픈 소스 라이브러리로, 기존 자바스크립트 라이브러리와 달리 복잡한 구문이나 객체 지향 프로그래밍 개념에 대한 깊은 이해 없이도 쉽게 사용할 수 있도록 설계되었습니다. 또한 튜토리얼, 예제, 온라인 커뮤니티 등 다양한 학습 자료가 제공되어 프로그래밍 경험이 없는 사람도 쉽게 시작할 수 있고, 웹 브라우저에서 작동하기 때문에 별도의 설치 없이 누구나 쉽게 사용할 수 있으며 오픈 소스 라이브러리로 자유롭게 사용, 수정, 배포가 가능합니다.

1-2. 사용방법

https://p5js.org/ko/

(Chrome, Firefox, Safari 등 대부분의 웹 브라우저에서 사용 가능
합니다.)
"에디터" 버튼을 클릭합니다.

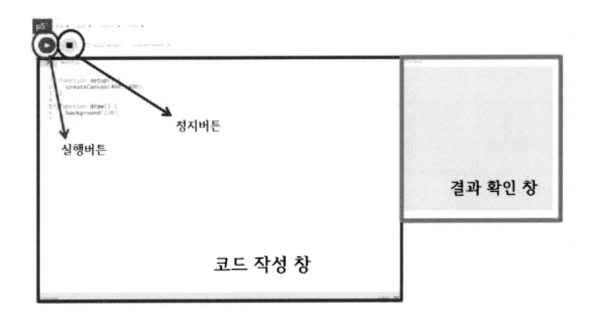

이제 웹 에디터에서 P5.js 코드를 작성하고 실행할 수 있습니다. 코
드 작성 후 실행버튼(Play)을 클릭하면 결과를 확인할 수 있습니다.

1.3 기본 구조: setup()과 draw() 함수
P5.js 스케치는 보통 두 가지 주요 함수로 구성됩니다

setup() 함수: 프로그램의 초기 설정을 담당합니다. 예를 들어, 캔버스 크기를 지정하거나 초기 변수 값을 설정하는 등의 작업을 합니다. 이 함수는 프로그램 시작 시 한 번만 호출됩니다.

draw() 함수: 프로그램이 실행되는 동안 반복적으로 호출됩니다. 화면에 그리기 작업을 하거나 애니메이션을 만들 때 사용됩니다. 기본적으로 초당 60번 호출되지만, frameRate() 함수를 사용하여 조정할 수 있습니다.

그 외 색상, 도형 등의 다양한 함수는 다음장에 예제들로 보면서 알아 가 보도록 하겠습니다.

2장. 입출력 및 사운드

P5.js는 다양한 입력 소스와 출력 장치를 사용하여 사용자와의 상호 작용을 가능하게 합니다. 마우스, 키보드, 센서, 웹캠, 파일 등을 통해 데이터를 읽고 처리하여 흥미롭고 창의적인 프로젝트를 만들 수 있습니다. 또한, 사운드 재생, 녹음, 편집, 합성 등을 통해 다채로운 사운드 경험을 제공합니다.

텍스트 출력 기능을 활용하여 다양한 창의적인 프로젝트를 만들 수 있습니다. 예를 들어, 게임의 점수나 메뉴, 대화형 아트 작품, 시각 자료 등을 만들 수 있습니다. 텍스트 크기, 정렬, 색상 등을 조절하여 원하는 디자인을 구현할 수 있습니다.

2.1 텍스트 출력: textSize(), text(), textAlign()

텍스트는 P5.js에서 가장 기본적인 그래픽 요소 중 하나입니다. textSize(), text(), textAlign() 함수를 사용하여 화면에 텍스트를 출력하고 스타일을 지정할 수 있습니다.

2.1.1 textSize()

textSize() 함수는 텍스트의 크기를 설정합니다. 인자로 픽셀 단위의 크기를 지정합니다.

[예시]
```
// 텍스트 크기를 32픽셀로 설정
textSize(32);
```

텍스트 크기를 설정하면 이후에 출력되는 모든 텍스트에 적용됩니다. 크기를 변경하려면 다시 textSize() 함수를 호출해야 합니다.

2.1.2 text()

text() 함수는 화면에 텍스트를 출력합니다. 두 개의 인자를 받습니다. 첫 번째 인자는 출력할 텍스트 문자열이고, 두 번째 인자는 텍스트의 x좌표입니다. 옵션으로 y좌표를 세 번째 인자로 지정할 수 있습니다.

[예시]
// "Hello, world!" 텍스트를 (20, 50) 위치에 출력

text("Hello, world!", 20, 50);

```
// "Welcome to P5.js" 텍스트를 (100, 100) 위치에 출력
text("Welcome to P5.js", 100, 100);
```

text() 함수는 여러 줄 텍스트를 출력할 수도 있습니다. 줄 바꿈 문자 (\n)를 사용하여 줄을 나눕니다.

```
text("This is a\nmultiline\ntext.",1, 100);
```

2.1.3 textAlign()

textAlign() 함수는 텍스트의 정렬 방식을 설정합니다. 인자로 LEFT, CENTER, RIGHT 중 하나를 지정할 수 있습니다.
이 예시에서는 텍스트의 위치를 더 잘 확인하기 위해 text의 사이즈를 23으로 바꿔서 해보도록 하겠습니다.

[예시]

```
// 텍스트를 왼쪽 정렬
textAlign(LEFT);
```

// 텍스트를 중앙 정렬
textAlign(CENTER);

// 텍스트를 오른쪽에 정렬
textAlign(RIGHT);

textAlign() 함수는 다음에 출력되는 텍스트에만 적용됩니다. 정렬 방식을 변경하려면 다시 textAlign() 함수를 호출해야 합니다.

[예시]

```
function setup() {
  createCanvas(400, 400);
  textSize(24);
  textAlign(CENTER);

 text("P5.js 텍스트 출력", width / 2, height / 2);

  textSize(16);
  textAlign(LEFT);
  text("왼쪽 정렬", 20, 50);

  textAlign(CENTER);
  text("중앙 정렬", width / 2, 80);

  textAlign(RIGHT);
  text("오른쪽 정렬", width - 20, 110);
}
```

Preview

왼쪽 정렬

중앙 정렬

오른쪽 정렬

p5.js 텍스트 출력

2.2 이미지 출력: loadImage(), image()

P5.js는 이미지를 사용하여 다채로운 그래픽을 만들 수 있는 기능을 제공합니다.

이미지 파일 형식은 PNG, JPG, GIF 등 다양한 형식을 지원는데 이미지 크기가 너무 크면 로딩 시간이 오래 걸릴 수 있고 이미지를 변형하여 출력할 때 좌표 시스템을 고려해야 합니다.

loadImage() 함수를 사용하여 이미지 파일을 로드하고, image() 함수를 사용하여 화면에 출력할 수 있습니다.

2.2.1 loadImage()

loadImage() 함수는 이미지 파일을 로드하여 PImage 객체를 반환합니다. 인자로 이미지 파일 경로를 지정합니다.
P5.js에서는 이미지를 웹에서 불러오기 때문에 이미지를 업로드를 해줘야 합니다.
uplode file 버튼을 누르면 드래그해서 업로드가 가능한데 속도가 느리니 하나씩 업로드하는 것을 추천합니다.

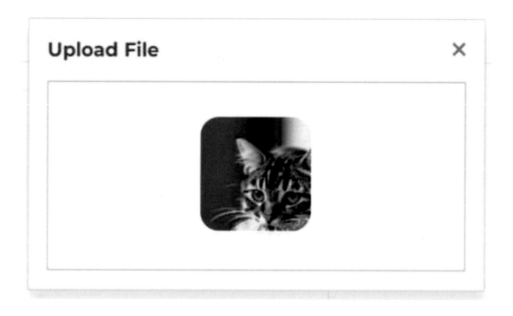

2.2.2 image()

image() 함수는 PImage 객체를 화면에 출력합니다. 네 개의 인자를 받습니다. 첫 번째 인자는 출력할 PImage 객체, 두 번째 인자는 x좌표, 세 번째 인자는 y좌표, 네 번째 인자는 이미지 너비, 다섯 번째 인자는 이미지 높이입니다. 옵션으로 좌표 시스템을 지정할 수 있습니다.

```
// 'img' 이미지를 (0, 0) 위치에 출력
image(img, 0, 0)
```

[예시]
```
// 'image.jpg' 파일을 로드
let img;

function preload() {
  img = loadImage('image.jpg');
}

function setup() {
  createCanvas(400, 400);
}

function draw() {
  background(220);
    image(img, 0, 0, width, height);
}
```

이미지가 로드되면 img 변수에 Pimage 객체가 저장됩니다.
이 객체를 사용하여 이미지를 출력하고 조작할 수 있습니다.

```
//이미지 회전하기

let img;

function preload() {
  img = loadImage('image.jpg');
}

function setup() {
  createCanvas(400, 400);
}
function draw() {
  background(220);
  push();
  translate(width / 2, height / 2);
  rotate(PI / 4);
  image(img, 0, 0, 150,150);
  pop();
}
```
*이미지 사이즈는 캔버스 사이즈를 넘지않게 준비합니다

// 이미지 스케일링

```
let img;
function preload() {
  img = loadImage('image.jpg');
}
function setup() {
  createCanvas(400, 400);
push();
  translate(250, 200);
  scale(0.5, 0.5); // 이미지 크기 절반으로 축소
  image(img, 0, 0, width, height );
  pop();
}
```

```
//이미지 투명도 조절
// 이미지 색상에 tint() 함수 적용 (알파 값 50% 감소)

let img;
function preload() {
  img = loadImage('image.jpg');
}
function setup() {
  createCanvas(400, 400);
}
function draw() {
  background(220);
  tint(255, 255, 255, 127);
  image(img, 0, 0, width, height);
  noTint();
}
```

2.3 색상 사용: colorMode(), color(), fill(), stroke()

색상은 P5.js에서 가장 중요한 그래픽 요소 중 하나입니다. colorMode(), color(), fill(), stroke() 함수를 사용하여 다양한 색상을 만들고 도형, 텍스트, 이미지에 적용할 수 있습니다.

2.3.1 colorMode()

colorMode() 함수는 색상 값을 표현하는 방식을 설정합니다. 기본적으로 RGB 모드를 사용하지만, HSB 모드, HSBA 모드 등 다양한 모드를 선택할 수 있습니다.

예시]

```
// RGB 모드 설정 (기본값)
colorMode(RGB);
// HSB 모드 설정
colorMode(HSB);
```

색상 모드를 변경하면 color() 함수를 사용하여 만드는 색상 값의 의미가 달라집니다.

2.3.2 color()
color() 함수는 색상 값을 생성합니다. 인자로 다양한 방식으로 색상을 지정할 수 있습니다.
RGB 값: red, green, blue 값을 0~255 범위로 지정합니다.

[예시]

```
// 빨간색
let c = color(255, 0, 0);
// 초록색
c = color(0, 255, 0);
// 파란색
c = color(0, 0, 255);

function setup() {
  createCanvas(400, 400);
  noLoop();
}
function draw() {

  colorMode(RGB);
  background(255);
  fill(255, 0, 0);
  rect(50, 50, 100, 100);

  colorMode(HSB);
  fill(0, 100, 100);
  rect(200, 50, 100, 100);

  fill(120, 100, 100);
  rect(50, 200, 100, 100);
  fill(240, 100, 100);
  rect(200, 200, 100, 100);
}
```

색상 이름: "red", "green", "blue", "yellow", "purple" 등 영어 색상 이름을 사용합니다.

```
let c = color('red');
c = color('green');
c = color('blue');
```

[예시]

```
function setup() {
  createCanvas(400, 400);
  noLoop();
}

function draw() {
  background(255);

  let c = color('red');
  fill(c);
  rect(50, 50, 100, 100);

  c = color('green');
  fill(c);
  rect(200, 50, 100, 100);

  c = color('blue');
  fill(c);
  rect(125, 200, 100, 100);
}
```

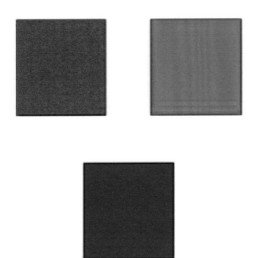

16진수 코드: "#FF0000", "#00FF00", "#0000FF" 등 16진수 코드를 사용합니다.

[예시]

```
function setup() {
  createCanvas(400, 400);
  noLoop();
}

function draw() {
  background(255);


  let c = color('#FF0000');
  fill(c);
  rect(50, 50, 100, 100);

  c = color('#00FF00');
  fill(c);
  rect(200, 50, 100, 100);


c = color('#0000FF');
  fill(c);
  rect(125, 200, 100, 100);
}
```

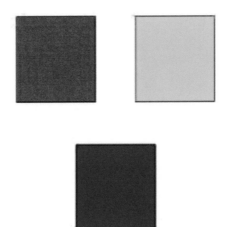

HSB/HSBA 값: hue, saturation, brightness, alpha 값을 지정합니다.

```
// HSBA 값: 색상 30도, 채도 100%, 명도 50%, 투명도 50%

c = color(30, 100, 50, 0.5);
```

[예시]

```
function setup() {
  createCanvas(400, 400);
  noLoop();
  colorMode(HSB);
}

function draw() {
  background(255);

  let c = color(30, 100, 50);
  fill(c);
  rect(50, 50, 100, 100);

  c = color(30, 100, 50, 0.5);
  fill(c);
  rect(200, 50, 100, 100);

  c = color(200, 80, 90);
  fill(c);
  rect(125, 200, 100, 100); }
```

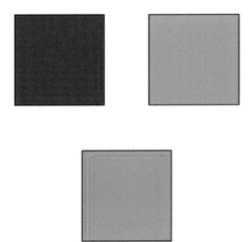

2.3.3 fill()

fill() 함수는 도형, 텍스트를 채울 색상을 설정합니다. 인자로 color() 함수를 사용하여 만든 색상 값을 지정합니다

```
// 도형, 텍스트를 빨간색으로 채움

fill(255, 0, 0);

// 도형, 텍스트를 초록색으로 채움

fill('green');
```

[예시]

```
function setup() {
  createCanvas(400, 400);
  background(255);
}

function draw() {

  fill(255, 0, 0);
  rect(50, 50, 100, 100);

  textSize(20);
  text('빨간색', 60, 180);

  fill('green');
```

```
    ellipse(250, 100, 100, 100);

    text('초록색', 230, 180);

    noLoop();
}
```

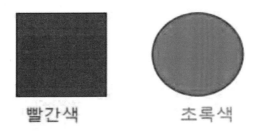

fill() 함수를 호출한 후에 그려지는 모든 도형, 텍스트는 설정된 색상
으로 채워집니다.

2.3.4 stroke()

stroke() 함수는 도형, 텍스트의 윤곽선 색상을 설정합니다.
인자로 color() 함수를 사용하여 만든 색상 값을 지정합니다.

```
// 도형, 텍스트 윤곽선을 검은색으로 설정
stroke(0, 0, 0);
```

```
// 도형, 텍스트 윤곽선을 파란색으로 설정
stroke('blue');
```

[예시]

```
function setup() {
  createCanvas(400, 400);
  background(255);
}

function draw() {

  stroke(0, 0, 0);
  fill(255, 0, 0);
  rect(50, 50, 100, 100);

  stroke(0, 0, 0);
  fill(0);
  textSize(20);
  text('Black Stroke', 50, 180);
```

```
stroke('blue');
fill('green');
ellipse(250, 100, 100, 100);

stroke('blue');
fill(0);
text('Blue Stroke', 230, 180);

noLoop();
}
```

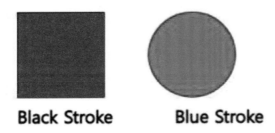

Black Stroke   **Blue Stroke**

stroke() 함수를 호출한 후에 그려지는 모든 도형, 텍스트는 설정된
색상으로 윤곽선이 그려집니다

```
// HSB 모드 설정

function setup() {
  createCanvas(400, 400);
  colorMode(HSB);
}

function draw() {
```

[예시]]

```
function setup() {
  createCanvas(400, 400);
  colorMode(HSB);
  noLoop();
}

function draw() {
  background(255);

  let c1 = color(30, 100, 50);
  fill(c1);
  noStroke();
  rect(50, 50, 100, 100);

  let c2 = color(120, 80, 60);
  fill(c2);
  ellipse(250, 100, 100, 100);
```

```
let c3 = color(200, 70, 70, 0.5);
fill(c3);
rect(125, 200, 150, 100);

let c4 = color(300, 90, 80);
stroke(c4);
strokeWeight(5);
fill(255);
ellipse(350, 300, 80, 80);

let c5 = color(60, 100, 100);
stroke(c5);
strokeWeight(2);
fill(0);
textSize(24);
text('HSB Color', 50, 350);
}
```

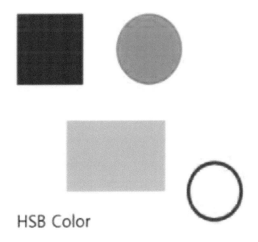

HSB Color

2.4 마우스와 키보드 입력

마우스와 키보드는 사용자와의 상호 작용을 가능하게 하는 가장 기본적인 입력 장치입니다. P5.js는 다양한 마우스와 키보드 입력을 감지하고 처리할 수 있는 함수를 제공합니다.

2.4.1 마우스 위치

mouseX와 mouseY 변수는 마우스 커서의 현재 위치를 나타냅니다. x 좌표는 왼쪽에서 오른쪽으로 0부터 width 값까지, y 좌표는 위에서 아래로 0부터 height 값까지의 범위를 가지고 있습니다.

[예시]

```
function setup() {
  createCanvas(400, 400);
  fill(255, 0, 0);
}

function draw() {
  ellipse(mouseX, mouseY, 20);
}
```

2.4.2 마우스 버튼 클릭

mousePressed 함수는 마우스 버튼이 클릭되었을 때 호출되는 함수입니다. 함수 내에서 마우스 클릭 이벤트를 처리하는 코드를 작성할 수 있습니다.

[예시]

// 마우스 클릭 시 배경색을 랜덤으로 변경합니다.

```
function setup() {
  createCanvas(400, 400);

}function mousePressed() {
  background(random(255));
}
```

2.4.3 마우스 버튼 누름

mouseButton 변수는 현재 누르고 있는 마우스 버튼을 나타냅니다. LEFT, CENTER, RIGHT 값 중 하나를 가지고 있습니다.

[예시]

```
function setup() {
  createCanvas(400, 400);
}
function draw() {
  if (mouseButton === LEFT) {
    fill(255, 0, 0);
  }
  else if (mouseButton === RIGHT) {
    fill(0, 0, 255);
  }
   else {
    fill(0, 255, 0);
  }
  ellipse(mouseX, mouseY, 20);
}
```

2.4.4 키보드 입력

keyPressed 함수는 키보드 키가 눌렸을 때 호출되는 함수입니다. 함수 내에서 키 입력 이벤트를 처리하는 코드를 작성할 수 있습니다.

예제

```
// 마우스 위치에 따라 원을 그리고 스페이스바 키 누르면 배경색을
랜덤으로 변경합니다.
function setup() {
  createCanvas(400, 400);
  fill(255, 0, 0);
}

function draw() {
  ellipse(mouseX, mouseY, 20);
}

function keyPressed() {
  if (keyCode === 32) {
    background(random(255));
  }
}
```

스페이스바를 누르면 배경이 변하면서 원이 리셋됩니다.

keyCode 변수는 눌린 키의 코드를 나타냅니다. 각 키에는 고유한 코드 값이 할당되어 있습니다.

[예시]

// 마우스 위치에 원을 그립니다. 왼쪽 버튼 누르면 검은색 윤곽선이 나오고 그 외에는 윤곽선 없게 나오도록 합니다.

```
function setup() {
  createCanvas(400, 400);
  fill(255, 0, 0);
}function draw() {
  // 마우스 버튼 상태에 따라 윤곽선 설정
  if (mouseIsPressed && mouseButton === LEFT) {
    stroke(0, 0, 0);
  }
  else {
    noStroke();
  }

  ellipse(mouseX, mouseY, 20);
}
```

2.5 사운드 재생

P5.js는 다양한 사운드 파일을 재생하여 사용자 경험을 더욱 풍부하게 만들 수 있는 기능을 제공합니다. loadSound() 함수를 사용하여 사운드 파일을 로드하고, play() 함수를 사용하여 재생할 수 있습니다.

+버튼을 눌러서 사운드를 미리 업로드 해야합니다.

2.5.1 loadSound()

loadSound() 함수는 사운드 파일을 로드하여 Sound 객체를 반환합니다. 인자로 사운드 파일 경로를 지정합니다.

[예시]

```
let sound;
function preload() {
  sound = loadSound('audio.mp3');
}
function setup() {
  createCanvas(400, 400);

  if (sound.isLoaded()) {
    console.log('Sound loaded successfully');
    sound.play();
  }
   else {
    console.log('Sound failed to load');
  }
}
```

```
1   let sound;
2
3   function preload() {
4     sound = loadSound('audio.mp3'); // 'audio.mp3' 파일을 미리 로드
5   }
6
7   function setup() {
8     createCanvas(400, 400);
9     // 소리가 로드되었는지 확인
10    if (sound.isLoaded()) {
11      console.log('Sound loaded successfully');
12      sound.play(); // 소리 재생
13    } else {
14      console.log('Sound failed to load');
15    }
16  }
17
18
```

콘솔   클리어 ∨

Sound loaded successfully

이 코드는 'audio.mp3' 사운드 파일을 로드하고 sound 변수에 저장
합니다. 이 Sound 객체를 사용하여 사운드를 재생하고 조작할 수 있
습니다.

2.5.2 play()

play() 함수는 Sound 객체를 재생합니다. 옵션으로 재생 시작 시간, 볼륨, 루프 재생 여부를 지정할 수 있습니다.
사운드 파일은 동일한 디렉토리에 있거나, 프로젝트 폴더에 상대 경로로 지정해야 합니다.파일 형식은 MP3, WAV, OGG 등 다양한 형식을 지원하며, 사운드 파일 재생 시간은 파일 길이에 따라 다르고 여러 사운드를 동시에 재생할 수 있습니다.

[예시]

```
// 'sound' 사운드를 재생
sound.play();

// 1초 후부터 재생
sound.play(1.0);

// 볼륨 50%로 재생
sound.play(0.5);

// 볼륨 50%로 재생, 루프 재생
sound.play(0.5, true);
```

play() 함수를 호출하면 사운드가 재생됩니다. 재생 중인 사운드를 중지하려면 stop() 함수를 사용합니다.

3장. 기본 그래픽스

그래픽스는 컴퓨터를 사용하여 이미지를 만드는 과정을 말합니다. 이는 컴퓨터 과학과 디자인 분야에서 매우 중요한 개념 중 하나입니다. 독자가 스마트폰에서 게임을 즐기거나 인터넷에서 이미지를 볼 때, 이 모든 그림과 모양들은 컴퓨터 그래픽스의 결과물입니다.

화면을 픽셀로 나타내면, 각각의 픽셀은 컴퓨터가 표현하는 색상과 정보를 담고 있습니다. 그래픽스는 이러한 픽셀을 조작하여 다양한 형태의 이미지를 만들어냅니다.

이미지를 만들 때, 우리는 주로 기본적인 도구들과 기술을 사용합니다. 원, 사각형, 선 등의 기본 도형을 조합하여 다양한 그림을 만들고, 색상을 조합하여 이미지에 다채로운 느낌을 부여합니다.

그래픽스에는 애니메이션과 3D 모델링과 같은 고급 기술들도 포함됩니다. 이러한 기술들은 컴퓨터의 성능과 창의성을 결합하여 멋진 시각적 경험을 제공합니다. 요약하자면, 그래픽스는 컴퓨터를 사용하여 이미지를 만드는 과정을 의미하며, 일상적으로 볼 수 있는 대부분의 시각적인 요소들은 이러한 기술의 결과물입니다.

P5.js는 그래픽스와 상호작용하기 위한 JavaScript 라이브러리로, 웹 브라우저에서 그래픽스를 생성하고 조작하는 것을 도와줍니다. 이 라이브러리를 사용하면 웹 그래픽을 쉽게 만들고 상호작용할 수 있습니다. 이를 통해 사용자는 자신의 아이디어를 시각적으로 구현할 수 있으며, 프로그래밍, 수학, 예술 등의 다양한 분야에서 활용할 수 있습니다. 결론적으로, P5.js는 웹 개발과 교육에서 널리 사용되는 JavaScript 라이브러리로, 그래픽스를 손쉽게 다룰 수 있도록 도와줍니다.

이번장에서는 그래픽스를 활용한 예제를 다뤄보도록 하겠습니다.

3-1.선 그리기 - line() , stroke() ,strokeWeight()

line(): 이 함수는 두 점을 연결하여 직선을 그리는 데 사용됩니다. 시작점과 끝점을 정확히 지정하여 선을 생성할 수 있습니다. 이 함수는 그래픽스에서 가장 기본적인 형태의 선을 그릴 때 사용됩니다.
문법 : line(x1, y1, x2, y2)
x1 숫자: 1번째 점의 x좌표값
y1 숫자: 1번째 점의 y좌표값
x2 숫자: 2번째 점의 y좌표값
y2 숫자: 1번째 점의 z좌표값

[예시]

```
function setup() {
// 400x400 크기의 캔버스 생성
  createCanvas(400, 400);
// 배경색 설정
  background(200);
//triangle(1번째 점의 x좌표,1번째 점의 y좌표,2번째 점의 x좌표,2번째 점의 y좌표);
  line(30, 20, 300, 300);
}
```

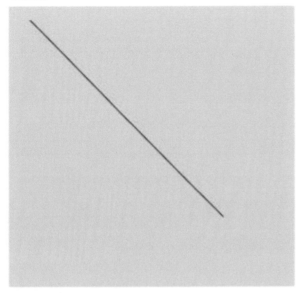

Preview

stroke(): 선의 색상을 지정하는 함수입니다. RGB 값 또는 그레이스케일 값을 사용하여 선의 색상을 설정할 수 있습니다. 이 함수를 사용하면 선의 색상을 원하는 대로 변경할 수 있습니다.
문법 : stroke(color)

strokeWeight(): 이 함수는 선의 두께를 조절하는 데 사용됩니다. 입력된 값은 픽셀 단위로, 선의 굵기를 나타냅니다. 이 함수를 사용하여 선의 두께를 조절하여 선의 형태를 변경할 수 있습니다.
문법 : strokeWeight(선의 두께 (픽셀 단위))

이러한 함수들을 함께 사용하여 그래픽스 작업을 할 때, 선의 모양과 스타일을 정확하게 제어할 수 있습니다.

[예시]

```
function setup() {
// 캔버스 생성: 너비 400, 높이 400
  createCanvas(400, 400);
}

function draw() {
// 배경색 설정: 회색 (그레이)
  background(220);

// 첫 번째 선 그리기
// 빨간색으로 설정 (R,G,B)
  stroke(255, 0, 0);
// 선의 두께를 4로 설정
  strokeWeight(4);
// 시작점: (50, 50)에서 끝점:(350, 350)까지 선 그리기
  line(50, 50, 350, 350);

// 두 번째 선 그리기
// 파란색으로 설정 (R,G,B)
  stroke(0, 0, 255);
// 선의 두께를 2로 설정
  strokeWeight(2);
// 시작점: (50, 350)에서 끝점: (350, 50)까지 선 그리기
  line(50, 350, 350, 50);
}
```

3-2.도형 그리기 - rect(), ellipse(), circle(), triangle()

rect(): 이 함수는 캔버스에 직사각형을 그리는 데 사용됩니다. 직사각형의 위치와 크기를 지정하여 그릴 수 있습니다. 시작점 (x, y)와 가로 너비, 세로 높이를 입력하여 원하는 형태의 직사각형을 생성할 수 있습니다.
문법 : rect(x좌표값, y좌표값, 너비값, 높이값)

[예시]

```
function setup() {
  createCanvas(400, 400);

  background(200);
//rect(좌측 꼭짓점 좌표,좌측)
  rect(50, 40, 300, 200);
}
```

Preview

rect()함수는 8개의 매개변수를 입력할 수 있습니다.
rect(1번, 2번, 3번, 4번, 5번, 6번, 7번, 8번);
1번=x좌표 , 2번=y좌표 ,3번=사각형의 너비 ,4번=사각형의 높이

5번~8번은 모서리의 둥근 정도를 나타냅니다
5번=왼쪽 위 , 6번=오른쪽 위 ,7번=오른쪽 아래 ,8번=왼쪽아래
[예시]

```
function setup() {
// 400x400 크기의 캔버스 생성
  createCanvas(400, 400);
// 배경색 설정
  background(200);
//(x좌표 ,y좌표 ,사각형의 너비 ,사각형의 높이,~모서리 둥근정도)
  rect(30, 20, 300, 300, 20, 15, 10, 5);
}
```

ellipse(): 원 또는 타원을 그리는 데 사용되는 함수입니다. 원의 중심 위치와 가로, 세로 반지름을 지정하여 그릴 수 있습니다. 중심 위치와 반지름을 설정하여 다양한 크기와 모양의 원을 생성할 수 있습니다.

문법 : ellipse(타원의 x좌표, 타원의 y좌표값, 타원의 너비값, (선택) 타원의 높이값)

[예시]

```
function setup() {
// 400x400 크기의 캔버스 생성
  createCanvas(400, 400);
// 배경색 설정
  background(200);
//(x좌표 ,y좌표 ,타원의 너비.타원의 높이)
  ellipse(200, 200, 250, 250);
}
```

Preview

circle(): 이 함수는 원을 그리는 데 사용됩니다. 원의 중심 위치와 지름을 지정하여 그릴 수 있습니다. 원의 중심 위치와 지름을 입력하여 정확한 크기의 원을 생성할 수 있습니다.
문법 : circle(원 중심점의 x좌표, 원 중심점의 y좌표, 원의 지름)

[예시]

```
function setup() {
// 400x400 크기의 캔버스 생성
  createCanvas(400, 400);
// 배경색 설정
  background(200);
//(x좌표 ,y좌표 ,타원의 너비,타원의 높이)
  circle(200, 200, 100);
}
```

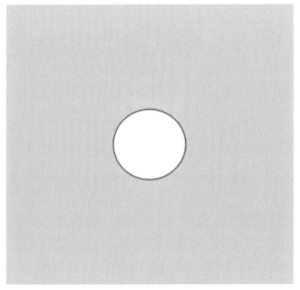

triangle(): 이 함수는 삼각형을 그리는 데 사용됩니다. 세 개의 점을 지정하여 삼각형을 정의할 수 있습니다. 세 점의 위치를 입력하여 원하는 모양의 삼각형을 생성할 수 있습니다.

문법 : triangle(x1, y1, x2, y2, x3, y3);

(x1, y1): 첫 번째 점의 좌표

(x2, y2): 두 번째 점의 좌표

(x3, y3): 세 번째 점의 좌표

[예시]

```
function setup() {
// 400x400 크기의 캔버스 생성
  createCanvas(400, 400);
// 배경색 설정
  background(200);
//triangle(x1, y1, x2, y2, x3, y3);
```

```
  triangle(100, 200, 200, 30, 300, 200);
}
```

Preview

이러한 함수들을 조합하여 다양한 형태의 도형을 그릴 수 있습니다. 도형의 크기, 위치 및 스타일을 원하는 대로 조절하여 그래픽 작업을 해보도록 하겠습니다.

[예시]

```
function setup() {
// 400x400 크기의 캔버스 생성
  createCanvas(400, 400);
}

function draw() {
// 배경색 설정
  background(220);
```

```
// 직사각형 그리기
// 내부를 빨간색으로 칠하기(R,G,B)
  fill(255, 0, 0);
// 시작점 (50, 50)에서 가로 100, 세로 200 크기의 직사각형 그리
기
  rect(50, 50, 100, 200);


// 원 그리기
// 내부를 녹색으로 칠하기
  fill(0, 255, 0);
// 중심점 (200, 200)에서 가로, 세로 반지름이 각각 150인 원 그리
기
  ellipse(200, 200, 150, 150);


// 삼각형 그리기
// 내부를 노란색으로 칠하기
  fill(255, 255, 0);
// 세 점 (100, 300), (200, 300), (150, 350)을 이용하여 삼각형 그
리기
  triangle(100, 300, 200, 300, 150, 350);
}
```

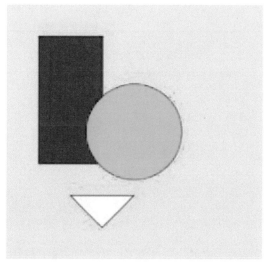

3.3 변형 - translate(), rotate(), scale()

translate(): 이 함수는 그림을 원하는 위치로 이동하는 데 사용됩니다. x와 y 좌표를 입력하여 현재 그림의 원점을 새로운 위치로 옮길 수 있습니다. 이 함수를 사용하면 그림을 이동시키는 데 유용합니다.
문법 : translate(좌/우 이동, 상/하 이동, 앞/뒤 이동 (WebGL 모드용))

rotate(): 그림을 회전하는 데 사용되는 함수입니다. 각도를 입력하여 현재 그림을 지정된 각도만큼 회전시킬 수 있습니다. 이 함수를 사용하면 그림의 방향을 변경하여 다양한 모양을 만들 수 있습니다.
문법 : rotate(angle, [axis])
angle : 현재 angleMode의 매개변수인 RADIANS(라디안) 또는 DEGREES(도)의 설정 사항에 따른 회전각
axis : p5.Vector|숫자 배열[]: (선택 사항) 3D의 경우, 회전축
scale(): 그림의 크기를 조절하는 데 사용되는 함수입니다. x와 y 축에 대한 스케일 값을 입력하여 그림의 크기를 변경할 수 있습니다.

이 함수를 사용하여 그림을 확대 또는 축소할 수 있습니다.
문법 : scale(s, [y], [z])
s : 객체 크기를 조정하는 백분율, 또는 여러 인수를 지정할 경우 x축에서의 객체 크기 배율을 조정하는 백분율
y: (선택) y축에서의 객체 크기를 조정하는 백분율
z: (선택) z축에서의 객체 크기를 조정하는 백분율 (WebGL 모드용)

이러한 함수들을 조합하여 그림을 이동, 회전 및 크기 조정하는 데 사용할 수 있습니다. 이해를 돕기 위해 간단한 예제를 해보도록 하겠습니다.
이번 예제를 이해하기 쉽게 하기 위해서는 변환1,2,3을 각각 추가해 만들면 더 이해하기 쉬울 것입니다.

*이해하기 - push() ,pop()
push() 함수는 현재의 그래픽 상태를 저장하는 함수입니다. 이 함수를 호출하면 현재 그래픽 상태(예: 좌표 변환, 스타일 설정 등)가 스택에 저장됩니다. 그 후에 어떤 변환을 가하거나 그래픽 설정을 변경하더라도, 나중에 pop() 함수를 호출하여 스택에서 이전 상태를 불러와 원래의 상태로 되돌릴 수 있습니다.

일반적으로 push()와 pop() 함수는 한 쌍으로 사용되어 변환의 영향을 제한하는 데 사용됩니다. 변환을 적용한 후에 push()를 호출하여 변환의 시작 상태를 저장하고, 변환이 끝난 후에 pop()을 호출하여 다음 그림에 영향을 미치지 않도록 변환 상태를 초기화합니다.

아래 예제에서 push() 함수는 변환 전의 상태를 저장하는 데 사용되었습니다. 변환된 그림들을 그리고 나서 pop()을 호출하여 변환 상태를 초기화하여 이후의 그림들에는 영향을 미치지 않도록 하였습니다.

[예시]

```
function setup() {
  createCanvas(400, 400);

}function draw() {
  background(220);
// 변환 전에 원점을 기록
// 이는 변환 후에 다시 원래 위치로 돌아갈 때 사용
  push();

// 변환 1: translate()
// 현재 원점을 (100, 100)으로 이동
  translate(100, 100);
// 변환 후에 그리려는 모든 그림들은 이 새로운 원점을 기준으로
그리기.이 원점 주변에서 그림을 그리기.
// 내부를 빨간색으로 칠하기
  fill(255, 0, 0);
// 현재 원점에 원을 그리기.
  ellipse(0, 0, 50, 50);

// 변환 2: rotate()
// 현재 그림을 45도만큼 시계 방향으로 회전
  rotate(radians(45));
  fill(0, 0, 255);
// 현재 원점에 직사각형을 그리기
  rect(0, 0, 100, 50);
// 변환 3: scale()
// 현재 그림을 x와 y 방향으로 각각 2배 확대
```

```
  scale(2);
  fill(0, 255, 0);
// 현재 원점에 삼각형을 그리기
  triangle(-25, -25, 0, 25, 25, -25);
// 원래의 원점으로 돌아가기.
  pop();
}
```

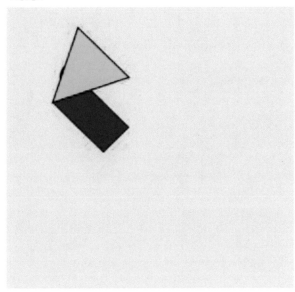

3.4 랜덤 효과 - random(), randomSeed()

random():
이 함수는 그래픽스에서 무작위성을 추가하는 데 사용됩니다. 호출될
때마다 0과 1 사이의 임의의 실수를 반환하여 다양한 효과를 생성합

니다. 주로 그래픽 작업에서 도형의 위치, 크기, 색상 등을 무작위로 설정하여 다양한 패턴을 만들 때 활용됩니다. 예를 들어, 각 점의 위치를 랜덤하게 설정하여 별 모양을 그리거나, 색상의 RGB 값을 랜덤하게 설정하여 다양한 텍스처를 만들 수 있습니다.
문법 : random([min], [max])

randomSeed():
이 함수는 난수 생성기의 시드 값을 설정하는 데 사용됩니다. 동일한 시드 값을 사용하면 random() 함수가 항상 동일한 순서의 난수를 생성하므로, 재현 가능한 랜덤 효과를 제공합니다. 이는 동일한 결과를 얻고자 할 때 유용하며, 예를 들어, 게임의 레벨 생성이나 애니메이션의 재생을 일관되게 유지하고자 할 때 활용됩니다.
문법 : randomSeed(seed)

이러한 함수들은 그래픽 작업에서 다양한 효과를 생성하고, 재현 가능한 결과를 보장하여 일관된 사용자 경험을 제공하는 데 중요한 역할을 합니다.
예제를 함께하면 더욱 이해하기 쉽고 재미있을 것입니다.

[예시]

```
// 캔버스 설정
function setup() {
  createCanvas(400, 400);
```

```
  background(220);
// 시드 값 설정
  randomSeed(4);
}
// 그래픽 요소 그리기
function draw() {
// 무작위로 위치와 크기를 설정하여 원 그리기
// 캔버스의 가로 범위 내에서 무작위로 X,Y 좌표 설정
  let x = random(width);
  let y = random(height);
// 20부터 80까지의 범위 내에서 무작위로 지름 설정
  let diameter = random(20, 80);
// 0부터 255까지의 범위 내에서 무작위로 RGB 설정
  let r = random(255);
  let g = random(255);
  let b = random(255);
// 무작위 색상으로 채우기
  fill(r, g, b);
// 원 그리기
  ellipse(x, y, diameter);
}
```

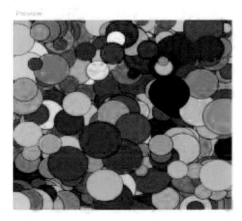

4장. 애니메이션

　애니메이션은 정지된 그림이나 영상에 생명을 불어넣는 매혹적인 예술입니다. 정적인 이미지들이 시간의 흐름에 따라 변화하는 모습을 표현하여 우리의 상상력을 자극하고 감정을 불러일으킵니다. 이야기를 전달하고, 시각 효과를 연출하고, 심지어 복잡한 개념까지 설명하는 강력한 도구가 될 수 있습니다.
　P5.js를 이용하여 웹 브라우저에서 이러한 동적인 그래픽, 애니메이션, 게임 등을 만들 수 있습니다. HTML, CSS와 함께 사용하여 다양한 인터랙티브 콘텐츠를 제작할 수 있으며, 특히 애니메이션과 상호작용 기능이 뛰어난 것이 특징입니다.

이 번장에서는 여러 함수를 통해 앞서 배웠던 도형들을 움직여 보도록 합니다.

4.1 프레임 속도조절 : frameRate()

 P5.js에서 프레임은 화면에 표시되는 각 이미지를 의미합니다.
애니메이션을 만들 때 매 프레임마다 화면에 표시될 내용을 변경하여
동적인 효과를 만들어냅니다.
 프레임의 변경 속도는 기본 초당 60이지만 frameRate(); 함수를
사용하여 프레임의 여 프레임 속도를 변경할 수 있으며
frameRate(); 함수는 setup(){ 안에 쓰입니다. 이 때 숫자가 클수록
부드럽게 움직이는 애니메이션을 만들 수 있습니다.

[예시]

frameRate();를 이용하여 보다 프레임이 더많이 사용된 원을 만들어
볼 수 있습니다.

```
let x = 200; // 공의 초기 x 좌표 (가로 중앙)
let y = 200; // 공의 초기 y 좌표 (세로 중앙)
let speedX = 2; // 공의 x 좌표 방향 속도 (오른쪽으로 2픽셀씩 이
동)
let speedY = 2; // 공의 y 좌표 방향 속도 (아래쪽으로 2픽셀씩 이
동)

function setup() {
  createCanvas(400, 400); // 캔버스 크기 설정
  background(220); // 배경색 설정 (밝은 회색)
  frameRate(80); // 프레임 속도 설정 (초당 80프레임)
}

function draw() {
```

```
background(220); // 매 프레임마다 배경색 초기화
fill(255,0,0); // 타원형 공 색을 빨강으로 설정
ellipse(x, y, 50, 50);
// 타원형 공 그리기 (x, y 좌표, 너비 50픽셀, 높이 50픽셀)
x += speedX; // x 좌표를 속도만큼 증가 (오른쪽으로 이동)
y += speedY; // y 좌표를 속도만큼 증가 (아래쪽으로 이동)
if (x + 25 > width || x - 25 < 0) {
// 공이 캔버스 벽에 닿으면
  speedX = random(-5, 5); // x 방향 속도를 무작위 값으로 변경
}
if (y + 25 > height || y - 25 < 0) {
// 공이 캔버스 바닥/천장에 닿으면
  speedY = random(-5, 5);
//y 방향 속도를 무작위 값으로 변경
}
```

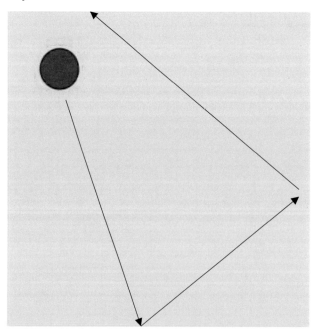

무작위로 튀는 공이 frameRate(); 함수 숫자를 변경으로 프레임의
수가 변경되었을 때 통의 튀는 모양이 훨씬 부드러워 진 것을 볼 수
있습니다.

여기에 생상 함수 fill()함수도 변경시키면 어떻게 될까요?

응용예제 : 색깔바뀌며 내려오는 원

```
let r = 255; // 변수 색상 r의 빨강색 진하기 설정
let g = 0;//변수 색상 g의 초록색 진하기 설정
let b = 0;//변수 색상 b의 파란색 진하기 설정
let x = 50; //캔버스에서 시작하는 좌표위치
let y = 50;//캔버스에서 시작하는 좌표위치
let speedX = 2; // 공의 x 좌표 방향 속도 (오른쪽으로 2픽셀씩
이동)
let speedY = 2; // 공의 y 좌표 방향 속도 (아래쪽으로 2픽셀씩
이동)

function setup() {
  createCanvas(400, 400); // 캔버스 크기 설정
  background(220); // 배경색 설정 (밝은 회색)
  frameRate(80); // 프레임 속도 설정 (초당 80프레임)
}
function draw() {
```

```
background(220); // 매 프레임마다 배경색 초기화
x += 1;
y += 1;
r -= 1; // 빨강 값 감소
g += 2; // 초록 값 증가
fill(r, g, b); // 변화된 r.g.b 값으로 설정
ellipse(x, y, 50, 50);
// 타원형 공 그리기 (x, y 좌표, 너비 50픽셀, 높이 50픽셀)
x += speedX; // x 좌표를 속도만큼 증가 (오른쪽으로 이동)
y += speedY; // y 좌표를 속도만큼 증가 (아래쪽으로 이동)
if (x + 25 > width || x - 25 < 0) { // 공이 캔버스 벽에 닿으면
   speedX = random(-5, 5); // x 방향 속도를 무작위 값으로
변경
   }
if (y + 25 > height || y - 25 < 0) { // 공이 캔버스
바닥/천장에 닿으면
   speedY = random(-5, 5); // y 방향 속도를 무작위 값으로
변경
   }
}
```

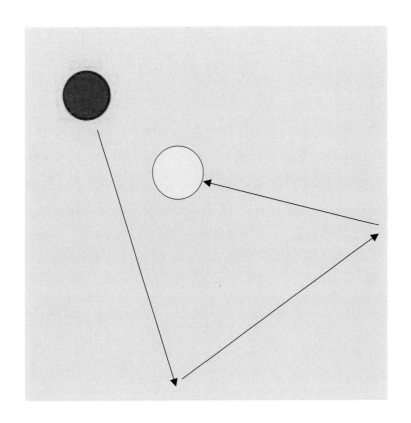

이렇게 색상값으로 변화하며 튀는 공으로 응용할 수 있습니다.
이 역시도 프레임숫자를 조절하면 훨씬 부드러운 결과물을 만들 수
있습니다.

4.2 millis() : 프로그램이 시작된 이후 경과된 시간을 밀리초 단위로 반환합니다. 즉, millis()를 호출하면 스케치가 시작된 후로 얼마나 시간이 흘렀는지를 알 수 있습니다. 이 함수는 애니메이션의 타이밍을 조절하거나 특정 이벤트를 일정 시간 후에 발생시키는 데 유용하게 사용됩니다. 예를 들어, 일정 간격으로 화면에 무언가를 출력하거나, 특정 시간이 지나면 색상을 변경하는 등의 작업을 할 때 millis()를 사용할 수 있습니다. millis() 함수는 정밀한 타이밍을 요구하는 애니메이션이나 인터랙티브한 작업에서 특히 유용하며, 현재 시간을 기준으로 이벤트를 조정하는 데 도움을 줍니다. 또한, millis() 함수는 간단히 호출만 하면 현재 시간을 반환하기 때문에 사용이 매우 쉽습니다.

[예시1] 정한 시간차를 두고 배경 색깔이 변경하기

```
let lastChange = 0; // 마지막으로 배경색을 변경한 시간을
저장하는 변수
let interval = 1000; // 배경색을 변경할 시간 간격 (1초)

function setup() {
  createCanvas(400, 400); // 400x400 크기의 캔버스 생성
}

function draw() {
  let currentTime = millis(); // 현재 시간을 밀리초 단위로
가져옴

  if (currentTime - lastChange > interval) {
// 현재 시간이 마지막으로 변경한 시간에서 설정한
간격(interval)보다 클 경우 배경색 변경
```

```
    background(random(255), random(255), random(255));
 // 배경색을 무작위로 변경
    lastChange = currentTime; // 마지막 변경 시간을 현재
시간으로 업데이트
   }
}
```

[예시2] 점점 커지는 원

```
let startTime; // 스케치가 시작된 시간을 저장하는 변수
function setup() {
   createCanvas(400, 400); // 400x400 크기의 캔버스 생성
   startTime = millis(); // 스케치 시작 시간을 현재 시간으로
초기화
}
function draw() {
   background(220); // 배경을 회색으로 설정
   let currentTime = millis(); // 현재 시간을 밀리초 단위로
가져옴
   let elapsedTime = currentTime - startTime; // 경과 시간
계산
   let radius = elapsedTime / 10;
   // 경과 시간에 비례하여 반지름을 설정
   ellipse(width / 2, height / 2, radius, radius);
   // 화면 중앙에 원을 그림
}
```

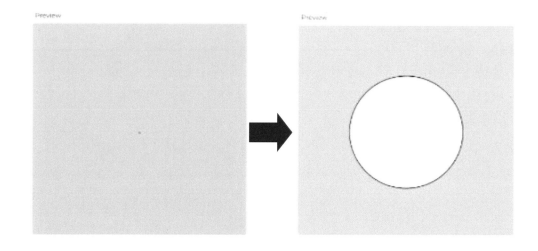

4.3 사용자 상호작용: mousePressed(), mouseReleased(), keyPressed()

사용자와 상호작용을 하는 함수는 마우스 ,키보드, 사운드재생등 다양한 함수들이 있다.
P5.js에서는 이벤트관련 변수들을 전역변수로 미리 선언되어있습니다.

우리는 그 중에서 간단한 mousePressed(), mouseReleased() keyPressed() 함수를 알아보겠습니다.

mousePressed() : 마우스를 누른다면 어떤 명령을 실행할 수 있는 함수입니다.

[예시]

```
function setup() {
  createCanvas(600, 600); // 캔버스 크기 설정
  background(220);         // 캔버스 색상 설정
}

function draw() {
  // background(220);
  //여기에서는 라인을 그려야 하므로 캔버스 초기화를 사용하변
안된다.

  if(mouseIsPressed){
  // 마우스를 누른다면 조건 설정
  stroke("black");  //선의 색상 설정
  strokeWeight(5);   // 선의 굵기 설정

  line(mouseX, mouseY, pmouseX, pmouseY);
  // 마우스를 누르는 좌표값에 라인 만들어 주기
  }
}
```

이렇게 마우스를 눌른다는 조건이 충족된다면 지정된 색과 선의
굵기를 이용하여 그림을 그릴 수 있다.

mouseReleased() : mouseIsPressed와 반대로 마우스 버튼을
누르고 움직여도 mouseReleased() 함수는 실행되지 않습니다.다만
마우스 버튼을 누른 상태에서 버튼을 놓으면 mouseReleased()
함수가 실행됩니다.
마우스 클릭 및 드래그와 같은 다른 마우스 이벤트와 함께 사용하여
다양한 상호 작용 기능을 구현할 수 있습니다.

mouseReleased() 함수는 마우스 버튼을 놓은 위치(x, y 좌표)와
버튼을 눌렀던 마우스 버튼(왼쪽, 오른쪽, 중앙)에 대한 정보를
제공합니다.

mouseX: 마우스 버튼을 놓은 순간의 x 좌표
mouseY: 마우스 버튼을 놓은 순간의 y 좌표
button: 마우스 버튼 정보 (LEFT, RIGHT, CENTER)입니다.

[예시]

```
function setup() {
    createCanvas(400, 400); // 캔버스 크기를 400x400으로 설정
    background(255); // 배경색을 흰색으로 설정
}
function draw() {
    // draw() 함수 내용이 비어있어도 mouseReleased() 함수는
작동합니다.
}

function mouseReleased() {
    // 마우스 버튼을 놓을 때마다 실행되는 함수
```

```
  let r = random(255); // 랜덤한 빨간색 값
  let g = random(255); // 랜덤한 초록색 값
  let b = random(255); // 랜덤한 파란색 값
  fill(r, g, b); // 채우기 색상을 랜덤한 RGB 값으로 설정
  noStroke(); // 원의 테두리 없음
  ellipse(mouseX, mouseY, 50, 50); // 현재 마우스 위치에
반지름이 50인 원 그리기
}
```

Preview

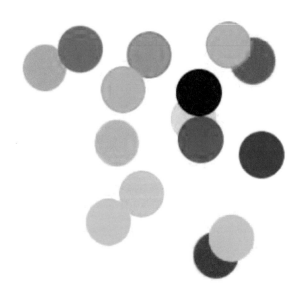

keyPressed() : 키보드 입력을 감지하고 처리하는 데 사용되는
중요한 함수입니다. 특정 키가 눌렸을 때 원하는 동작을 실행하도록
프로그래밍하는 데 유용합니다. 게임 제작, 인터랙티브 아트, 교육용
앱 등 다양한 분야에서 많이 활용되고 있습니다.
keyPressed() 함수는 매 프레임마다 실행되며, 눌린 키에 따라
원하는 동작을 실행하도록 코드를 작성할 수 있습니다.

keyCode: 눌린 키의 코드를 나타내는 정수값 (예: 65는 'A' 키,
32는 스페이스바 키)
key: 눌린 키의 문자값 (예: 'A', ' ', '↑') 와 같이 사용됩니다.

[예시]

```
let x = 50;
let y = 50;
let w = 50;
let h = 50;
  // 이동 속도
let speedX = 2;
let speedY = 2;
function setup() {
  createCanvas(400, 400);
  background(220);
  // 사각형 변수

}
function draw() {
  rect(x, y, w, h);
 // 사각형 그리기
```

```
  fill(255,192,203);
//사각형 핑크색으로 채우기

  // 사각형 이동
  x += speedX;
  y += speedY;
  // 벽에 부딪히면 방향 전환
  if (x + w > width || x < 0) {
    speedX *= -1;
  }
  if (y + h > height || y < 0) {
    speedY *= -1;
  }
}
// 키 입력 감지 및 처리
function keyPressed() {
  // 화살표 키 입력 감지
  if (keyCode === UP_ARROW) {
    speedY = -2; // 위 방향으로 이동
  } else if (keyCode === DOWN_ARROW) {
    speedY = 2; // 아래 방향으로 이동
  } else if (keyCode === LEFT_ARROW) {
    speedX = -2; // 왼쪽 방향으로 이동
  } else if (keyCode === RIGHT_ARROW) {
    speedX = 2; // 오른쪽 방향으로 이동
  }
}
```

4.4 애니메이션 기법핵심 loop(), noLoop(), clear()

loop() : P5.js에서 loop() 함수는 마치 애니메이션의 심장처럼 중요한 역할을 합니다. loop() 함수는 자동으로 반복 실행되어 애니메이션 효과를 만들어냅니다. draw() 함수와 함께 사용되어 매 프레임마다 화면에 표시될 내용을 반복 변경하고 애니메이션을 구현합니다.

noLoop() : loop() 함수의 반복 실행을 중단하여 애니메이션을 일시 정지시킵니다. 마치 영상 플레이어의 일시 정지 버튼과 같은 역할을 합니다. noLoop() 함수를 사용하면 애니메이션이 특정 조건에 도달했을 때 일시 정지하거나, 사용자 상호 작용을 기반으로 애니메이션을 제어하는 등 다양한 효과를 만들 수 있습니다.

clear() 함수는 캔버스에 그려진 모든 내용을 지우는 역할을 합니다. 마치 칠판을 지우는 것처럼 캔버스를 새롭게 초기화하여 애니메이션 효과를 만들 때 유용하게 활용됩니다. clear() 함수는 draw() 함수 내에서 사용하며, 매 프레임마다 캔버스를 지우면 이전 프레임의 내용이 남지 않고 새로운 내용만 표시됩니다.

[예시1] loop()와 noLoop()

```
let size = 0; // 사각형의 초기 크기
let angle = 0; // 사각형의 초기 회전 각도

function setup() {
  createCanvas(400, 400); // 캔버스 크기 설정
  background(0); //배경색 블랙으로 지정
}

function draw() {
  translate(width / 2, height / 2);
// 회전 중심을 캔버스 중심으로 이동, 이동함수로 다음장에 소개
  rotate(radians(angle));
  // 사각형 회전

// 사각형 그리기 설정
  noFill(); // 사각형 면 채우기 없음
```

```
  stroke(255); // 사각형 선 색상을 흰색으로 설정
  rectMode(CENTER); // 사각형 그리기 모드를 중심점 기준으로
설정
  rect(0, 0, size, size); // 사각형 그리기

  size += 1; // 사각형 크기 1씩 증가
  angle += 5; // 사각형 회전 각도 5도씩 증가

  // 사각형 크기가 너무 커지면 초기화
  if (size > width) {
    size = 0;
    angle = 0;
  }
}



// 더블 클릭 시 애니메이션을 시작하거나 멈춤
function mousePressed() {
  if (isLooping()) {
    noLoop(); // 애니메이션 반복을 멈춤
  } else {
    loop(); // 애니메이션 반복 시작
  }
}
```

미리보기

loop()와 noLoop()를 통하여 동작의 반복과 반복 멈춤을 볼수
있습니다

clear() : 캔버스를 투명하게 클리어합니다. 이는 캔버스의 모든 내용을 지우지만, 캔버스 자체의 배경색이나 설정은 변경하지 않습니다. background() 함수와는 다르게, clear()는 캔버스를 완전히 비워내는 것이 아니라, 그림이 그려졌던 흔적을 없애는 역할을 합니다. 이 함수는 동적인 애니메이션 또는 그래픽에서 이전 프레임의 잔상을 제거하고, 새로운 그림만을 표시하고 싶을 때 사용할 수 있습니다.

[예시2] clear

```
let size = 0; // 사각형의 초기 크기
let angle = 0; // 사각형의 초기 회전 각도

function setup() {
  createCanvas(400, 400); // 캔버스 크기 설정
}

function draw() {
  clear(); // 이전 프레임을 지워 캔버스를 투명하게 만듦
  background(0); // 배경을 검은색으로 설정하여 이전 프레임을
지움

  translate(width / 2, height / 2); // 캔버스의 중심으로 좌표
이동
  rotate(radians(angle)); // 사각형을 angle 만큼 회전

  noFill(); // 사각형의 면을 채우지 않음
  stroke(255); // 사각형의 선 색상을 흰색으로 설정
```

```
  rectMode(CENTER); // 사각형 그리기 모드를 중심점 기준으로
설정
  rect(0, 0, size, size); // 사각형 그리기

  size += 1; // 사각형 크기 1씩 증가
  angle += 5; // 사각형 회전 각도 5도씩 증가

  // 사각형 크기가 캔버스 너비를 초과하면 크기를 0으로 리셋
  if (size > width) {
    size = 0;
  }
}
```

같은 커지며 회전하는 사각형이지만 clear()함수로 인해 이전
사각형을 그린 픽셀들이 지워지고 새로운 사각형이 다시 나타나는
것을 볼 수 있습니다.

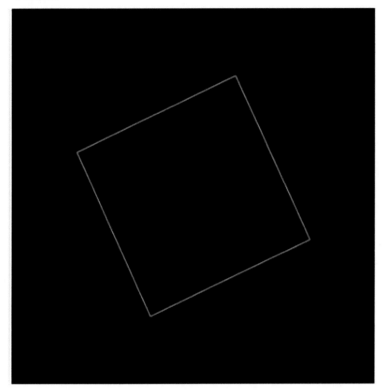

5장 Video와 Webcam

  움직이는 영상을 애니메이션에 활용하는 데 탁월한 기능을 제공합니다. 마치 영화 속 주인공처럼, 정적인 이미지를 뛰어넘어 생동감 넘치는 작품을 만들 수 있다는 상상만 해도 설레지 않나요?
  비디오를 이용해 이미지로만으로는 부족했던 보다 생상한 움직임과 현실감을 표현할 수 있으며, 비디오와 상호작용하는 인터랙티브 작품을 제작하여 사용자 참여도 유도 할 수 있습니다.

5.1 비디오

  비디오 로드:createVideo()
createVideo() 함수를 사용하여 비디오 파일을 로드합니다.
이 때 파일 경로를 정확!!하게 지정해야 합니다.
loop() 옵션을 사용하면 비디오를 반복 재생할 수 있습니다.

[예시]

1)

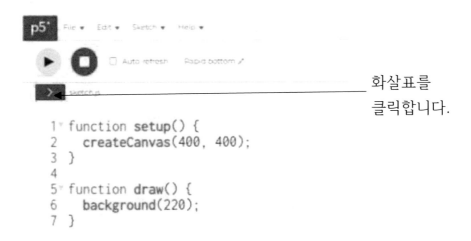

화살표를
클릭합니다.

2)

스케치 파일을
열고 + 를 눌러
data 파일을
만듭니다.

3)

새로 만든 data파일을 열어 재생할 MP4를 업로드합니다.

업로드가 되었다면 다시 sketch.js 폴더로 가서 코드를 입력 실행시킵니다.

```
// 비디오 변수 선언
let video;
function setup() {
  createCanvas(400, 300);
  video = createVideo("data/예시.mp4");
// 비디오 파일 로드 (경로를 지정하세요)
  video.loop();
// 비디오 자동 재생 설정 (옵션)
}
```

이렇게 옆에 캔버스가 생성되어 내가 업로드 한 동영상이 재생됨을
볼 수 있습니다.

비디오 표시: image()

image() 함수를 사용하여 비디오를 화면에 표시합니다.

```
let Video;
function setup() {
   createCanvas(400, 400);
// 동영상 파일 로드 및 설정
   Video = createVideo("data/예시.mp4");
// 동영상 디스플레이 숨김
Video.hide();
}


function draw() {
   background(0);
// 동영상의 특정 부분만 캔버스에 그리기
   image(Video, 0, 0, 400, 400);
}


function mousePressed() {
// 마우스를 클릭하면 동영상의 1/4 지점으로 이동
   Video.time((Video.duration() / 4));
// 동영상 재생 시작
   Video.play();
}
```


마우스를 클릭할 때 마다 지정되 동영상 이미지로 이동하는 것을 볼 수 있습니다.

비디오 제어:play()/pause(), volume(),speed()

다양한 메서드와 속성을 가지고 있어 재생, 일시 정지, 볼륨 조절, 속도 조절등의 기능을 구현할 수 있습니다

[예시]

```
let Video;
// 동영상의 재생 상태를 추적할 변수
let isPlaying = false;
function setup() {
  createCanvas(640, 360);
// 동영상 파일 로드
  Video = createVideo("data/예시.mp4");
  Video.size(width, height);
// 동영상의 기본 컨트롤 숨기기
  Video.hide();
}

function draw() {
  background(0);
// 동영상 그리기
  image(Video, 0, 0);
}

function mousePressed() {
// 동영상의 재생 상태를 토글
  if (isPlaying) {
    Video.pause();
    isPlaying = false;
```

```
  } else {
    Video.play();
    isPlaying = true;
  }
}
```

영상이라 예시를 보여줄 수 없는 점이 안타깝습니다.
코드가 어떻게 작동하는지 실습을 꼭 해보시길 바랍니다.

[예시2] 클릭 횟수에 따라 커지는 볼륨

```
let Video;
let volume = 0;
function setup() {
  createCanvas(640, 360);
  Video = createVideo("data/예시.mp4");
  Video.size(width, height);
  Video.hide();
  Video.volume(volume);
  Video.play();
}

function draw() {
  background(0);
```

```
    image(Video, 0, 0);
}

function mousePressed() {
  volume += 0.2;
  if (volume > 1) {
    volume = 0;
  }
  Video.volume(volume);
}
```

[예시3]

```
let Video;
let volume = 0 ;

function setup() {
  createCanvas(640, 360);
  Video = createVideo("data/예시.mp")
  Video.size(width, height); // 비디오 크기를 캔버스 크기에 맞춤
  Video.hide(); // 비디오 기본 컨트롤을 숨김
  Video.volume(volume); // 초기 음량 설정
  Video.play(); // 비디오 재생
}

function draw() {
  background(0);
```

```
  image(Video, 0, 0); // 캔버스에 비디오를 그리기
}
function mousePressed() {
  if (mouseY < height / 2) { // 마우스가 화면의 상단 절반에 있
을 때
    volume = constrain(volume + 0.1, 0, 1);
    // 음량을 0.1 증가, 최대값 1로 제한
  } else { // 마우스가 화면의 하단 절반에 있을 때
    volume = constrain(volume - 0.1, 0, 1);
    // 음량을 0.1 감소, 최소값 0으로 제한
  }
  Video.volume(volume); // 변경된 음량을 비디오에 적용
}
```

마우스 클릭위치에 따라 조절가능한 볼륨이 가능하도록 만든
코드입니다.

[예시4]

```
let Video;
function setup() {
  createCanvas(640, 360);
  // 동영상 파일 로드
  Video = createVideo("data/예시.mp4");
  Video.size(width, height);
  Video.hide();
  Video.speed(1); // 초기 속도 설정
  Video.play();
}

function draw() {
  background(0);
  image(Video, 0, 0); // 동영상 그리기
}

function mousePressed() {
  // mouseY를 속도 범위(0.5에서 2.0)로 매핑
  let speed = map(mouseY, 0, height, 2, 0.5);
  Video.speed(speed);
}
```

[예시2]를 응용하여 마우스 클릭 위치에 따른 속도 조절도 가능합니다.

5.2 Webcam

P5.js에서 웹캠을 사용하는 방법은 매우 간단하면서도 편리합니다. 웹캠의 비디오는 지속적으로 실시간 업데이트되어 사용자에게 표시됩니다. 이러한 기능은 실시간 인터랙티브 아트 작품, 비디오 기반 게임, 데이터 시각화 프로젝트 등 창의적인 작업에 매우 유용하게 활용될 수 있습니다.

createCapture(VIDEO) : 웹캠을 통해 비디오 캡처를 시작하며, 사용자는 필요에 따라 해상도와 비디오 소스를 선택할 수 있습니다.

[예시]

```
let video;
function setup() {
  createCanvas(640, 480);
// 웹캠 비디오 캡처 객체 생성
  video = createCapture(VIDEO);
// 비디오 크기 설정
  video.size(640, 480);
// 기본 비디오 요소 숨기기
  video.hide();
}

function draw() {
  background(200);
// 캔버스에 비디오 이미지 그리기
  image(video, 0, 0);
}
```

[예시2]

```
let video;

function setup() {
  createCanvas(640, 480); // 640x480 크기의 캔버스 생성
  video = createCapture(VIDEO); // 웹캠 비디오 캡처 객체 생성
  video.size(640, 480); // 비디오 크기 설정
  video.hide(); // 기본 비디오 요소 숨기기
}

function draw() {
  background(200); // 배경 색상 설정
  video.loadPixels(); // 비디오의 픽셀 데이터 로드
    for (let y = 0; y < video.height; y++) {
    // 비디오의 각 픽셀을 반복
    for (let x = 0; x < video.width; x++) {
      let index = (x + y * video.width) * 4; // 픽셀 데이터 인덱스 계산
      let r = video.pixels[index + 0]; // 빨간색 값
      let g = video.pixels[index + 1]; // 녹색 값
      let b = video.pixels[index + 2]; // 파란색 값
      let gray = (r + g + b) / 3; // 평균을 사용하여 흑백 값 계산

      video.pixels[index + 0] = gray;  // 픽셀을 흑백 값으로 설정
      video.pixels[index + 1] = gray;
      video.pixels[index + 2] = gray;
```

```
      }
    }
    video.updatePixels(); // 수정된 픽셀 데이터 업데이트
    image(video, 0, 0); // 캔버스에 비디오 이미지 그리기
}
```

[예시3]

```
let video;

function setup() {
  createCanvas(640, 480); // 640x480 크기의 캔버스 생성
  video = createCapture(VIDEO); // 웹캠 비디오 캡처 객체 생성
  video.size(640, 480); // 비디오 크기 설정
  video.hide(); // 기본 비디오 요소 숨기기
}

function draw() {
  background(200); // 배경 색상 설정
  video.loadPixels(); // 비디오의 픽셀 데이터 로드

  // 비디오의 각 픽셀을 반복
  for (let y = 0; y < video.height; y++) {
    for (let x = 0; x < video.width; x++) {
      let index = (x + y * video.width) * 4; // 픽셀 데이터 인덱스 계산
      let r = video.pixels[index + 0]; // 빨간색 값
      let g = video.pixels[index + 1]; // 녹색 값
      let b = video.pixels[index + 2]; // 파란색 값

      // 색상값 변경으로 다양한 색상의 필터 적용가능 (예: 빨간색 톤 강조)
      video.pixels[index + 0] = r * 1.5; // 빨간색 값 증가
      video.pixels[index + 1] = g * 0.5; // 녹색 값 감소
      video.pixels[index + 2] = b * 0.5; // 파란색 값 감소
```

```
        }
    }

    video.updatePixels(); // 수정된 픽셀 데이터 업데이트
    image(video, 0, 0); // 캔버스에 비디오 이미지 그리기
}
```

Preview

[예시4] 모션 감지

```
let video;
// 비디오 스트림과 이전 프레임의 픽셀 데이터를 저장할 변수 선언
let previousPixels;
let threshold = 30; // 움직임 감지를 위한 밝기 변화의 임계값 설
정

function setup() {
  createCanvas(400, 300); // 400x300 크기의 캔버스 생성
  video = createCapture(VIDEO); // 웹캠을 사용하여 비디오 스
트림 생성
  video.size(width, height); // 비디오의 크기를 캔버스의 크기로
설정
  video.hide(); // 원본 비디오는 숨기고, 캔버스에만 결과를 그림
}

function draw() {
  image(video, 0, 0); // 캔버스에 비디오 스트림을 그림

  if (!previousPixels) {
    // 이전 프레임의 픽셀 데이터가 없는 경우, 현재 프레임의 픽
셀 데이터를 저장
    previousPixels = video.get(); // 현재 비디오 프레임의 픽셀
데이터를 복사하여 저장
  } else {
    // 이전 프레임의 픽셀 데이터가 있는 경우
    video.loadPixels(); // 현재 비디오 프레임의 픽셀 데이터 로드
```

```
    // 모든 픽셀에 대해 반복
  for (let x = 0; x < width; x++) { // 모든 픽셀에 대해 반복
    for (let y = 0; y < height; y++) {
      let index = (x + y * width) * 4;
      // 현재 픽셀의 인덱스 계산 (RGBA 각각에 대한 인덱스)
      let currentColor = video.pixels.slice(index, index + 4);
      // 현재 픽셀의 색상 데이터 추출
      let previousColor = previousPixels.get(x, y);
      // 이전 프레임에서 같은 위치의 픽셀 색상 데이터 추출


      let      deltaRed     =      abs(currentColor[0]     -
red(previousColor));
      let    deltaGreen     =      abs(currentColor[1]     -
green(previousColor));
      let    deltaBlue      =      abs(currentColor[2]     -
blue(previousColor));
      let delta = (deltaRed + deltaGreen + deltaBlue) / 3;
      // 현재 프레임과 이전 프레임 사이의 밝기 변화 계산 (RGB
값의            평균 차이)

      if (delta > threshold) {
        // 밝기 변화가 임계값 이상인 경우 움직임으로 간주
        fill(0); // 움직임이 감지된 픽셀을 검은색으로 채움
        noStroke(); // 테두리 없음
        rect(x, y, 0.5, 0.5);
        // 해당 위치에 작은 사각형 그림 (움직임 표시)
      }
    }
```

```
    }
    previousPixels = video.get();
    // 현재 프레임을 이전 프레임으로 업데이트하여 다음 비교를
위해 저장
  }
}
```

Preview

비디오를 여러 개 레이어로 사용하여 더욱 복잡한 효과를 만들 수 있으며

비디오와 오디오를 결합하여 더욱 풍부한 작품을 만들 수도 있습니다.

이렇게 비디오 프레임을 실시간으로 변형하여 여러 효과를 만들 수 있어 편리하지만 주의 사항도 있습니다.

비디오의 파일 크기가 크면 로딩 속도가 느려질 수 있으며 다양한 형식의 비디오 파일을 지원하지 않을 수 있습니다.

무엇보다 중요한 주요사항은 저작권법을 준수하여 비디오를 사용하여야 합니다.

6장. 게임 만들기(응용편)

앞에서 많은 함수들을 배웠습니다.

이번 장에서는 함수들을 응용하여 게임을 만들어 보도록 하겠습니다.

학습자의 수준과 수업 차시를 반영하여 코드를 초,중,고급으로 나누었습니다

6.1 원 클릭하기

*초급 : 랜덤으로 생긴 원을 마우스 클릭해서 없애는 코드 입니다.

[예시]

```
// 목표 지점의 좌표
let circleX = 200;
let circleY = 200;
let circleSize = 50;
function setup() {
  createCanvas(400, 400);
}
function draw() {
  background(220);
// 클릭한 곳에 원 그리기
  ellipse(circleX, circleY, circleSize, circleSize);
}
function mouseClicked() {
// 클릭한 위치에 원이 있으면 해당 원 제거
  let d = dist(mouseX, mouseY, circleX, circleY);
// 화면 밖으로 원 이동하여 사라지게 만듦
  if (d < circleSize / 2) { circleX = -100;
  }
}
```

*중급 : 점수 획득 기능 추가

[예시]
```
// 목표 지점의 좌표
let targetX, targetY;
// 점수
let score = 0;
function setup() {
  createCanvas(400, 400);
// 목표 지점의 x,y 좌표를 무작위로 설정
  targetX = random(width);
  targetY = random(height);
}
function draw() {
  background(220);
// 목표 지점 표시
  fill(255, 0, 0);
  ellipse(targetX, targetY, 20, 20);
// 점수 표시
  textSize(20);
  textAlign(CENTER);
  text("Score: " + score, width / 2, 30);
}
function mouseClicked() {
// 클릭한 위치가 목표 지점 근처에 있으면 점수 획득
  let d = dist(mouseX, mouseY, targetX, targetY);
  if (d < 10) {
    score++;
// 새로운 목표 지점 설정
```

```
    targetX = random(width);
    targetY = random(height);
  }
}
```

*고급 : 점수 획득 + 제한 시간 기능 추가

```
[예시]
// 목표 지점의 좌표
let targetX, targetY;
// 점수
let score = 0;
// 남은 시간 (초)
let timeLeft = 30;
// 타이머 인터벌
let timerInterval;
function setup() {
  createCanvas(400, 400);
// 목표 지점의 x , y 좌표를 무작위로 설정
  targetX = random(width);
  targetY = random(height);
// 1초마다 남은 시간을 감소시키는 타이머 시작
  timerInterval = setInterval(updateTimer, 1000);
}
function draw() {
  background(220);
// 목표 지점 표시
  fill(255, 0, 0);
  ellipse(targetX, targetY, 20, 20);
```

```
  // 점수와 시간 표시
  textSize(20);
  textAlign(CENTER);
  text("Score: " + score, width / 2, 30);
  text("Time: " + timeLeft, width / 2, 60);

  // 시간이 다 되면 게임 종료
  if (timeLeft <= 0) {
    gameOver();
  }
}
function mouseClicked() {
  // 클릭한 위치가 목표 지점 근처에 있으면 점수 획득
  let d = dist(mouseX, mouseY, targetX, targetY);
  if (d < 10) {
    score++;
    // 새로운 목표 지점 설정
    targetX = random(width);
    targetY = random(height);
  }
}
function updateTimer() {
  // 1초마다 호출되어 남은 시간을 감소시킴
  timeLeft--;
}
function gameOver() {
  // 게임 종료 시 타이머 멈추고 메시지 표시
  clearInterval(timerInterval);
  textSize(30);
```

```
textAlign(CENTER);
text("Game Over", width / 2, height / 2);
text("Score: " + score, width / 2, height / 2 + 40);
}
```

Score: 19
Time: 0

Game Over
Score: 19

6.2 공피하기 게임
*초급 : 위에서 공이 떨어지는 코드입니다

[예시]
```
let x, y; // 공의 위치
let yspeed = 5; // 공의 수직 속도
let diameter = 20; // 공의 지름
function setup() {
  createCanvas(400, 400);
  x = random(width); // 공이 임의의 x 위치에서 시작하도록 설정
  y = 0; // 화면 상단에서 시작
}
function draw() {
  background(220);

  // 공 그리기
  ellipse(x, y, diameter);

  // 공의 위치 업데이트
  y += yspeed;

  // 공이 화면 아래로 벗어나면 다시 위로 올라가도록 설정
  if (y > height + diameter / 2) {
    y = 0;
    x = random(width); // 다시 임의의 x 위치에서 시작하도록 설정
  }
}
```

*고급 : 점수 획득 기능 추가

[예시]
```
// 플레이어의 위치
let player;
// 공들의 배열
let balls = [];
// 플레이어 크기
let playerSize = 20;
// 공 크기
let ballSize = 20;
// 점수
let score = 0;
// 게임 오버 상태
let gameOver = false;

function setup() {
  createCanvas(400, 400);
// 플레이어의 초기 위치 설정
  player = createVector(width / 2, height - 40);
}

function draw() {
  background(220);

// 공 추가: 일정한 간격으로 새로운 공 생성
  if (!gameOver && frameCount % 30 === 0) {
// 새로운 공 생성 및 배열에 추가
    balls.push(createVector(random(ballSize  /  2,  width  -
```

```
ballSize / 2), 0));
}

  // 플레이어 그리기
  fill(0, 0, 255);
  ellipse(player.x, player.y, playerSize);

// 공 그리기 및 이동
  for (let i = balls.length - 1; i >= 0; i--) {
    fill(255, 0, 0);
// 공 그리기
    ellipse(balls[i].x, balls[i].y, ballSize);
// 공을 아래로 이동
    balls[i].y += 5;

// 플레이어와 충돌 확인
    if (dist(balls[i].x, balls[i].y, player.x, player.y) < (ballSize /
2 + playerSize / 2)) {
// 충돌 시 게임 오버
      gameOver = true;
    }

// 화면 밖으로 벗어난 공 제거
    if (balls[i].y > height + ballSize / 2) {
// 화면 아래로 벗어난 공 제거
      balls.splice(i, 1);
// 점수 증가
      score++;
    }
```

```
      }

// 게임 오버 메시지
  if (gameOver) {
    textSize(32);
    textAlign(CENTER, CENTER);
    fill(255, 0, 0);
    text("Game Over", width / 2, height / 2);
// 게임 종료 시 더 이상 draw() 함수 호출을 멈춤
    noLoop();
  }

// 점수 표시
  fill(0);
  textSize(20);
// 점수를 화면에 표시
  text("Score: " + score, 10, 30);
}

function keyPressed() {
// 플레이어의 이동

  if (keyCode === LEFT_ARROW && player.x > playerSize / 2)
{
// 왼쪽 화살표 키를 누르면 플레이어를 왼쪽으로 이동
player.x -= 20;


  } else if (keyCode === RIGHT_ARROW && player.x < width -
```

playerSize / 2) {

// 오른쪽 화살표 키를 누르면 플레이어를 오른쪽으로 이동
    player.x += 20;
  }
}

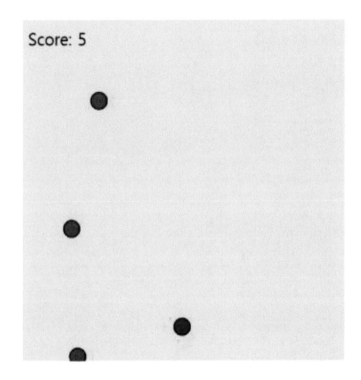

6.3 랜덤 숫자 맞추기

[코드]
```
// 컴퓨터가 선택한 숫자
let targetNumber;
// 입력 창
let input;
// 결과 출력 창
let output;
// 시도 횟수
let attempts = 0;
// 최대 시도 횟수
let maxAttempts = 5;
function setup() {
  createCanvas(400, 200);

// 게임 시작 시 컴퓨터가 임의의 숫자 선택
  targetNumber = int(random(1, 101));

// 입력 창 생성
  input = createInput();
  input.position(10, 50);

// 입력 버튼 생성
  let button = createButton('Guess');
  button.position(input.x + input.width + 10, 50);
  button.mousePressed(checkNumber);
```

```
// 결과 출력 창 생성
  output = createElement('h2', '');
  output.position(10, 100);
}
function draw() {
  background(220);
  fill(0);
  text("Enter your guess (1-100):", 10, 40);
}
function checkNumber() {
  let guess = int(input.value());
  input.value(''); // 입력 창 초기화
  //사용자가 입력한 값과 컴퓨터가 선택한 숫자를 비교하여 결과
출력
    if (guess === targetNumber) {
     output.html(`우아 대단해! ${targetNumber} 를 ${attempts +
1} 번 만에 맞췄어!`);

// 게임 종료
    noLoop();
  } else if (guess > targetNumber) {
    output.html(`Too high! Try again.`);
  } else {
    output.html(`Too low! Try again.`);
  }

// 시도 횟수 증가
  attempts++;
```

```
// 최대 시도 횟수에 도달하면 게임 종료
  if (attempts === maxAttempts) {
    output.html(`정답 : ${targetNumber}.`);
// 게임 종료
    noLoop();
  }
}
```

Enter your guess (1-100):

[   ] [Guess]

정답 : 69.

6.4 데이터 기반 게임 만들기 - 퀴즈게임 만들기

데이터 기반의 간단한 퀴즈 게임을 만들어 보겠습니다. 이 게임은 주로 질문과 여러 개의 선택지로 구성되며, 사용자는 이 중 올바른 답을 선택해야 합니다. 각 질문에는 정답이 있고, 사용자가 정답을 선택했을 때 점수를 얻습니다. 게임은 모든 질문에 대한 답변이 완료되면 종료됩니다.

[준비하기]

데이터는 질문, 선택지, 정답으로 구성된 객체의 배열로 준비합니다. 예를 들어, JSON 형식으로 데이터를 구성할 수 있습니다.

```
[
  {
    "question": "대한민국의 수도는 어디인가요?",
    "choices": ["서울", "부산", "인천", "대구"],
    "answer": "서울"
  },
  {
    "question": "다음 중 파이썬의 자료형이 아닌 것은?",
    "choices": ["int", "float", "string", "print"],
    "answer": "print"
  }
]
```

6.4.2. 게임 메커니즘 설계

퀴즈 시작: 사용자가 게임을 시작합니다.

질문 제시: 사용자에게 질문과 선택지를 보여줍니다.

사용자 입력: 사용자가 선택지 중 하나를 선택합니다.

정답 확인: 사용자의 선택이 정답인지 확인합니다.

점수 계산 및 피드백 제공: 정답이면 점수를 더하고, 틀리면 올바른 답을 알려줍니다.

다음 질문으로 이동: 모든 질문에 답할 때까지 2~5단계를 반복합니다.

게임 종료: 모든 질문에 답하면 게임을 종료하고 최종 점수를 보여줍니다.

[예시]
```
const quizData = [
  {
    question: "대한민국의 수도는 어디인가요?",
    choices: ["서울", "부산", "인천", "대구"],
    answer: "서울"
  },
  {
    question: "다음 중 파이썬의 자료형이 아닌 것은?",
    choices: ["int", "float", "string", "print"],
    answer: "print"
  }
];

let score = 0;
let currentQuiz = 0;
```

```javascript
function startQuiz() {
  displayQuestion();
}

function displayQuestion() {
  const questionText = document.getElementById('question');
  const choicesList = document.getElementById('choices');
  questionText.textContent = quizData[currentQuiz].question;
  choicesList.innerHTML = '';

  quizData[currentQuiz].choices.forEach((choice, index) => {
    const button = document.createElement('button');
    button.textContent = choice;
    button.onclick = () => checkAnswer(choice);
    choicesList.appendChild(button);
  });
}

function checkAnswer(choice) {
  if (choice === quizData[currentQuiz].answer) {
    score++;
  }
  currentQuiz++;
  if (currentQuiz < quizData.length) {
    displayQuestion();
  } else {
    displayScore();
  }
}
```

```
function displayScore() {
    const result = document.getElementById('result');
    result.textContent          =          `당신의          점수는
${score}/${quizData.length}입니다.`;
}

startQuiz();
```

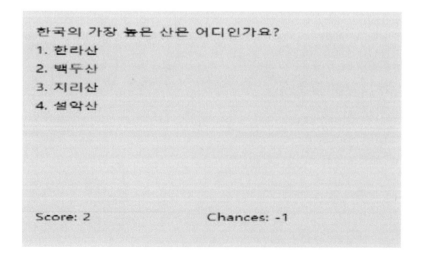

한국의 가장 높은 산은 어디인가요?
1. 한라산
2. 백두산
3. 지리산
4. 설악산

Score: 2   Chances: -1

기초편 P5.js

발   행 | 2024년 06월 26일
저   자 | 황수미,오은영,이주원
펴낸이 | 한건희
펴낸곳 | 주식회사 부크크
출판사등록 | 2014.07.15.(제2014-16호)
주 소 | 서울특별시 금천구 가산디지털1로 119 SK트윈타워 A동 305
호
전   화 | 1670-8316
이메일 | info@bookk.co.kr
판매가|23,000원
ISBN | 979-11-410-9136-1

www.bookk.co.kr
ⓒ 황수미,오은영,이주원 2024